내 앞에서 언제나 웃던 사람

내 앞에서 언제나 웃던 사람

발 행 | 2024년 01월 22일
저 자 | 백승학
펴낸이 | 한건희
펴낸곳 | 주식회사 부크크
출판사등록 | 2014.07.15.(제2014-16호)
주 소 | 서울특별시 금천구 가산디지털1로 119 SK트윈타워 A동 305호
전 화 | 1670-8316
이메일 | info@bookk.co.kr

ISBN | 979-11-410-6794-6

내 앞에서 언제나 웃던 사람

백승학 시집

−시집을 발간하면서

　지나간 어느 어두운 날들의 어간에 나는 늘 빛을 그리워
했습니다. 빛과 관련된 단어와 문장을 공책의 여분마다 적
어 놓았으며 실제로 빛이 잘 드는 어떤 장소들을 찾아 나서
기도 하였습니다. 환하게 비어있는 마을 공터를 서성이거나,
일테면 한낮의 담벼락을 채색하던 그 시절의 영화 포스
터 중에서도 푸른 초원을 물들이는 이국의 햇살이 담긴
풍경이라면 걸음을 멈추고 오래 들여다보곤 하였습니
다.

　혹여 오래 지난 잡지에서 '태양은 가득히'라거나 '언제나
마음은 태양' 류의 화보라도 발견하면 가슴이 설렜습니다.
라디오에서는 '어깨 위로 내려오는 햇살'이라는 팝송이 자주
흘러나왔습니다.

　그러다가 어떤 날은 마치 한 장의 화보 같고 한 폭의 그
림 같은 어느 유적지에서, 또한 우연히 지나쳐간 낯선 마을
의　어느 어귀에서 고즈넉하고 엄숙한 태고의 정적이 담긴

듯이 보이는 빛을 만나 종일 머물다가 돌아왔습니다. 그렇게 집으로 돌아오는 늦은 밤이면 서쪽으로 난 나의 골방 창문으로 별빛이 쏟아졌습니다.

잠이 들면 꿈속에서도 나는 빛을 찾아 다녔습니다. 꿈속에서 잠이 드는 꿈을 꾸면 꿈속의 꿈속에서도 빛을 찾아 다녔습니다.

나는 생각하기를 빛을 찾아다니는 것이 내 삶의 숙제이자 이유인 줄 알았습니다. 그 빛은 햇빛보다 화사하나 눈부시지 않으며 별빛보다 반짝이더라도 더 멀고 아득하며 오묘한 어떤 것이어야 했습니다. 그러던 어느 한 시점에 나는 불현듯 깨닫게 되었습니다. 내가 찾아다닌 것은 빛이 아니라 빛 속에서라야 비로소 보이는 얼굴 하나, 빛 속이라서 보이는 웃음 하나, 빛이 있었기에 길을 잃지 않고 함께 걸을 수 있었던 그날의 골목이나 들길 속의 당신이었다는 것을 깨닫게 되었습니다.

그러므로 당신은 함께 찍은 사진의 배경보다 언제나 아름답습니다. 함께 보던 영화의 주인공보다 날마다 사랑스럽습니다. 함께 걷던 날의 햇살보다 시간이 지나가도 빛납니다. 혹여 당신이 없는 햇살이 아무리 따사롭다 한들 마음의 대지에는 늘 춥고 황량한 바람이 불고야 말 것입니다. 하여, 당신이 있다면 아무리 힘겨워도 견딜 수 있습니다. 시도 쓸 수 있습니다.

그러므로 어떤 햇살도, 어떤 풍경도 당신이 있어야 비로소 빛이 납니다. 당신이 빛이며 당신이 사랑이며 당신이 바로 시입니다. 또한 은혜와 구원의 이유이자 어두운 모든 것들에서 돌아설 이유이며 치유 받아야할 이유이자 존재의 근거입니다.

-2024년 1월 22일 원적산 아래 서재에서 저자 백승학으로부터

목   차

제2부 우리의 남은 길이 아직 멀지라도

제3부 사람이 천사보다 조금 못할지라도

제4부 당신이 꽃입니다

제1부

우리가 눈물골짜기로 지날지라도

내 앞에서 언제나 웃던 사람

객석에 앉아서 한편의 연극을 보는 것은 내게
인생은 연극이거나 적어도 연극 같은 것이라는 말이
행여 인생이고 싶었거나

인생을 부러워한 연극이
제 스스로 퍼뜨린 소문임을 알아내는 일이었다
얼마나 인생이고 싶었으면 연극 속에서
배우는 진짜보다 진짜처럼 울었을까
인생의 반전을 말할 때는

진짜보다 진짜처럼 웃었을까

세상에서는 등 돌렸을 뉘우침마저

붙들어두려고 자신의 생애 모두 무대 위에 묶어두고

작은 소품 의자 하나에 기대인 채

가슴에다 새겼을까

객석에 앉아 한편의 연극을 보면서 나는

흐린 조명에서도 배우의 눈물이 반짝이는 것은

한때 조명보다 흐린 가슴으로 울던 사람

이제는 자신의 가슴에 각인된 슬픈 표정을 보여준다는 것을

알아차렸다

아! 어느 날이던가, 혹은 헤이지 못할 날들이던가

내가 인생에는 뉘우침도 없고 반전 마저

없다고 여길까봐 내 앞에서 자꾸만 웃던 사람

진짜라는 듯이 깊고 길게 웃던 사람

뉘우침 없고 반전 없는 세상이

내게서 멀어지기를 바라느라

가난의 짙은 그늘 속으로 들어가서

숨죽인 채 가라앉아 죽은 듯이 잊혀져가던 웃음마다 내 앞

으로 건져낸 후

스스로는 깊은 그늘에서 끝내 빠져나오지 못한 한 사람이

떠올랐다.

사랑은

사랑은 마치 제 스스로 서지 못하던 시절의
담쟁이 넝쿨처럼 언젠가 스스로 서리라 여기며
지내다가, 어느덧
날이 가고 계절이 다 지나간 후에도
떠나지 않은 채 여전히 기대선 삶의 어느 담벼락에서
추운 시절에도 저 먼 풍경들을 보며

견뎠으며, 꿈을 꾸듯 행복했다 말하거나
나 또한 너로 인해 휑하고 고독스러운 회색의 수치마저

잊고 살았노라 말할 때

또다시 비 내리고 눈이 온들

그마저 또한 정겨워서

그 누구도 아닌, 다른 어느 것도 아닌

제 스스로가 풍경이 되는 거겠지

말하자면 우리가

제 스스로 서지 못하는 것이

세상의 모든 풍경이 아름다운 이유일 테지

사랑이 존재하는 증거일 테지

사랑이 지닌 필연의 결핍, 또한 시련보다 더 아플

미완의 이별일 테지

낮달과 간이역

산모퉁이를 돌아서며 기차는
길게 기적을 울렸다
간이역을 앞에 두고
멈추지 못할 걸음에 미리

목이 메었으리라
간이역에는 들풀마다 흔들리고

세월을 머금은 지붕 위로

낮달이 떠 있었다

차창 밖으로 비쳐드는 낮달을 보며

누군가 손을 흔들었다

기차가 그날처럼 멈춘다면

웃으며 다가왔을 얼굴 하나

하얗게 멀어졌다

잊혀진 땅은 세상 어디일까

가슴마다 달의 조각처럼

저리도 아프게 남았는데

하구에서

강물이 흐르다가   어느 구부러지는 산허리,
한적한 기슭 어귀쯤에 다다르면
때마침 들려오는 바람의 노래와
어느덧 피어나는 초롱빛의 군락들과
꿈결처럼 흩날리는 꽃잎들의 향연을
만났으리

너는 보았는가 인생은 빛나는 축제라 믿으며
지난밤 하늘에 길을 내다 스스로는 소멸해가던

그 많은 꿈들의 표정을
너는 들었는가 인생은 부단한 행진이라 여기며
저 구푸러지고 가파른 삶의 산등성, 산허리에
길을 만들다 스스로는 스러져 가던
그 많은 눈물의 진심을
아! 너는 알았는가 지난밤 길고 오래고
어두운 절망의 자리마다 달빛을 비쳐내고
별빛을 아로새기다 마침내 스스로가 빛이 되어
환하게 아침을 맞이하던
기쁨의 근원을

강물은 흐르는 것이 아니라
함께 흐드러지며 길을 내려는 것이라네
하구처럼 젖어있는 가슴마다
환하게 꿈들이 피어나면
살아온 날들에 겨워 춤을 추다가

어느새 길이 되어 함께

바다에 닿으려는 것이라네

누구에게나 가슴마다

빛나고 아름다운 길이 숨어있는 이유라네

눈사랑

그저 너의 곁에 머물고 싶었을 뿐
사람이 되고 싶은 것은 아니었어
어느 따스한 날에 내 몸이 녹아 내려
세월은 짐짓 반짝이고
꿈들은 여전히 눈부실 때
여린 가슴마다 햇살이 되기 위해
나 하얀 기억으로 돌아갈래
너의 빈 가슴
너의 흘려보낸 세월 채워줄래

너는 녹아내리더라도
흩어지지 않기로 했지
울어야할 이유마저 견뎌야할 이유라 여겼지
오랜 햇살에 남은 살점들이 떨어져 내릴 때도
세상은 그저 따뜻한 거라 말하며 견뎌냈지
갈라진 틈들 마다 눈물 가득 채워지면

끝내 하나가 될 수 있다 말하며 웃었지
여리던 사람아
나도 너처럼 그렇게 울고 싶었을 뿐, 아니

가슴속 사무치는 언어들이 저 강물에 닿을 때까지
다만 너를 위해 울어주고 싶었을 뿐
사람이 되고 싶은 것은 아니었어

오늘 눈 내리기 좋은 날에

지나간 어느 바람 불기 좋은 날에는
우리의 아픈 사랑이 깃털처럼 일어나서
푸르른 숨결로 먼 곳까지 흐르느라
차마 붙잡지도 못했는데
하지만 우리는 또 그 먼 길을 건너왔네
무심한 바람처럼
오늘, 눈 내리기 좋은 날에 혹여
우리의 지나간 세월이 하얗게 흩어져
별빛이 된다 해도
하늘 끝을 물들이듯 아득한 빛깔마다 가슴에다
채우느라
울음조차 삭이겠지 그날처럼
하지만 빛나던 사람아
우리가 다시 춤을 출 수 있다면
웃음소리 쏟아지던 하얀 저 길목에 앉아서
다시 노래를 부를 수 있다면

젖어드는 바람처럼 밤이 새고 난 후

저 먼곳에 닿는다면

오늘, 눈 내리기 좋은 날에

우리가 함께 여행을 한다면 (1)

우리가 함께 여행을 한다면

여행을 하면서 같은 음악을 듣는다면

영화를 보며 사운드 트랙을 함께 듣거나

시를 읽으면서 행간 속의 음률을 함께 찾아내는 것과

다르지 않을 것이다

언젠가 뜨락 위를 수놓던 봄날의 살구꽃 그림자

흔들리는 소리들, 흔들리다가 마침내

눈처럼 서걱이며 내려앉던 소리들은

언제나 내 마음 속의 대지를 소환해내고

오래 머무르게 하고
둘이서 차렷하고 찍은 푸른 날의 앨범 속 사진 또한
가슴에서 기억되지
우리가 함께 여행을 하면서 같은 음악을 듣는다면
언젠가 다가올 생애 끝 날의 이별을 예감하는 기나긴
사운드 트랙, 그리하여
삶의 행간들을 미리 가슴에 새기려는
슬픈 몸부림일지도 몰라

우리가 함께 여행을 한다면 (2)

우리가 함께 여행을 한다면
어디선가 본 듯한 산하, 혹은 바다를 지날 때
그 익숙함에 미소 짓다가도
때로는 낯선 하늘과 처음 보는 별빛도 만나게 되리
경이로운 색채를 품은 채 자리를 지켜내는
넓은 호수, 혹은 광활한 대지나 심지어 사막도

만나게 되리
우리의 생애는 언제든 익숙함과 경이로움이 빚어내는

풍경들의 빛나는 화음과

조율하지 않아도 자연스러운 음색들과

흘러넘치는 것들의 향연

아! 살아온 날들에 보내는 경례와

살아갈 날들을 향한 경외

함께 채워내리

사랑밖에 남은 것 없을 마지막 시간이 오겠지만

추억 또한 영원하리

우리가 함께 여행을 한다면 (3)

우리가 함께 여행을 한다면
떠나기 전에 이국의 볼프 강, 도나우 강, 섀넌 강, 유브라데
와 티그리 등의
푸르고 반짝이는 강물의 이름들을 되뇌이거나
눈 덮인 알프스, 전설의 마추픽추, 혹은 어쩐지 사철

푸를 것 같은 안나푸루나를 떠올리다가, 마침내
어느 이름 없는 강, 나즈막한 산맥과 산맥 아래의 유년의

언덕을 닮은 작은 마을에 닿는다 해도
이름 없이 지낸 우리들의 지난 시절을 이야기하며
행복했었다 말하리
우리의 꿈이 비록 크고 광대하여서
우리의 삶이 그 꿈에 미치지 못했다 해도
모두가 등반대이겠는가
모두가 탐험가이겠는가
우리가 닿은 자리 풀꽃 향기 가득한 곳
낮고 허름한 터 위에 작은 집을 짓고
여직껏 살아왔지
우리가 함께 여행을 한다면
빛나는 이름 가득한 곳 대신에
우리 살아온 생애를 닮은 작고 아늑한 곳에서
오래 쉬다가 와도 좋으리

어떤 이별

그때 너는 뛰지 않는 어미의 심장에 귀를 댄 채
울고 있었지.

이승의 가난 때문일 것이라고 사람들은
생각했겠지만
힘든 하루를 보내고 돌아오는 밤이면 너는 또
죽은 듯이 잠든 내 심장에 귀를 대어보느라
뜬눈으로 새벽을 맞곤 했지

길이 건너다보이는 창틀의 풍경마다
너의 거친 발톱에 찢겨져 나간 흔적
붉은 상처들이 떠다녔지

하지만 한낮의 정적이야 나 또한
모진 가슴으로만 견뎌낸 적 있었기에
꽃잎 흩어지는 슬픈 계절이 올 때마다 나는
온통 무채색이던 내 삶의 풍경에다
마지막 꽃잎이듯 붉은 울음 하나
붙여두고 싶었었지

모진 이별마저 그리웠겠지. 너도
별들이 흩어지는 하늘 위로 어느덧
서러운 어둠이 채워지면
빈 세월 같은 다리 하나 건너느라
그리도 힘겨운 밤을 지새겠지, 하지만

풀잎들 일어서는 서린 새벽이 올 때마다

온통 무채색이던 그날의 하늘에다

마지막 별빛이듯

환한 기억 하나 색칠하고 싶었겠지, 너도

달빛이 켜지는 골목

재개발 예정지의 인적 없는 골목을 우연히 지나는데
때마침 이슬이 내리듯이 어둠이 내려왔다.
아직 불을 켜지 않은 긴 그리움 하나가 골목 끝에
우두커니 서 있었다.

한 때는 정겨웠을 살림들이 두서없이 부서져 내리고

오래 지난 가로등엔 무심한 시간만 지나갔다.

하지만 어느 꿈같은 날에

부디 아프지 말라 하던 주인의 목소리를

아직도 기억하는 강아지 한 마리가

가로등 꼭대기를 올려보며 서 있었다.

남겨진 옷자락에 얼마나 몸을 비벼대었는지

외출용 낡은 구두의 슬픈 윤기를 지닌 채 강아지는

사료를 아끼듯이 기다려야 하는 이유 또한

아껴 두었는지

어두워지는 가로등 너머로 어느새

달빛 하나 켜지는 것을 날마다 바라보고 또

바라보았으리.

그러다가 꿀벌이 잉잉대듯 아스라이 어둠이 깊어 가면

그리움만큼 길고 먼 잠 속으로 어느새

빠져들고 또 빠져들었으리.

비가 내리는 날의 창가에는

비가 내리는 날의 창가에는
등불 하나 빈자리 어드메쯤에 걸어두리, 그러다가
젖어가는 세월의 한 자락을 밝혀내듯 등불 하나 밝아오면
선득 멀어지던 그날의 뒷모습을 가슴 가득
떠올리리
안개 더욱 자욱해지는 시각에 밀려오는 섬찍한 각성으로
힘겨웠을 저 일몰의 깊은 사연들을 찾아내리
등불은 오래도록 꺼지지 않으리니
창밖에는 온종일 비가 내리고 빗속에서
풀잎처럼 흔들리던 울음 하나, 어느새
어두워가는 골목 끝을 나는 오래 오래
바라보리

비가 내리는 날의 창가에는
불씨 하나 빈 언저리 어디쯤에 담아두리, 그러다가
식어가는 시절의 한 조각을 덥혀내듯 불씨 하나 덥혀지면

선득 다가서던 긴 날의 그리움을 두 눈 가득

마주하리

빗소리 더욱 거세지는 시각에 닥쳐오는 끈질긴 오한으로

지난했을 저 어둠의 짙은 구비들을 털어내리

불씨는 흔들려도 흩어지지 않으리니

창밖에는 온종일 바람이 불고 바람 속에서

꽃잎처럼 피어나던 웃음 하나, 어느새

어두워가던 골목 끝을 나는 꿈결이듯

서성이리

비가 그치고 난 후

비가 그치고 난 후 안개
흩어지는 그 언덕에 혹여
그대 다시 서 있는다면 내가 꿈을 꾸듯
그대를 다시 바라본다면
비가 그치기 전에 나 빗속에서 서 있으리
하지만 비의 향기는 머나먼 시원의 강물이듯
언제나 너무 깊어서 언어조차
닿을 수가 없었다네, 그대의
웃음도 그러했다네

비가 그치고 난 후 햇살
환해지는 그 길 위에 혹여
그대 다시 멀어진다면 내가 꿈에서 깬 듯
그 모습에 다시 아파한다면
비가 그치기 전에 나 빗속에서 울고 있으리
하지만 비의 자취는 기나긴 해원의 별빛이듯

언제나 너무 짙어서 바람조차

지울 수가 없었다네, 그대의

눈물도 그러했다네

비가 그치고 난 후 새들이

다시 울었어도 내 마음엔 여전히

비가 내렸으리

긴 날을 빗물로 흐르다가 마침내
바다에 닿고 싶었으리
하지만 하늘은 언제나 간절한 기도로만
열릴 것이니, 그대의
그리움마저 열린다면
비가 그치기 전에 나 빗속에서
하늘 저 끝을 바라보리

제2부

우리의 남은 길이 아직 멀지라도

저녁에 이는 햇살

막 멀어지려는 하루가 아쉬워서
저녁에 이는 햇살 아래로 나 걸어 들어가다가
지나간 어느 한낮의 불꽃같던 시련들과 그 속에서
끝내 떠나보낸 이별 하나 떠올린다
세상이 온통 밝을수록 어둠은 오히려
깊었겠지, 너는 홀로 그 먼길을
걸었겠지
슬픔이 빛을 지녔다면 저 길 같았겠지

하지만 길보다 길어보이던 이별의 그림자 하나
애가 타도록 길 위를 물들이던 진홍빛 눈빛 하나,
아! 저녁에 이는 햇살처럼
곱고 그리울 모든 것들에 대한 여운,
그림자보다 오랠 꿈이 남았다면 저 노을 같았겠지
나는 새가 날개를 접듯이 여린 가슴을 접으리라
희고 무딘 세월의 생채기마다

스스로는 돌보지도 못하다가
내 슬픈 표정을 달래느라 한세월을 보낸 곱고 그리운
햇살 같던 사람아

아! 나는 허기를 채우려 듯 눈물 가득 걷는구나
너의 미소, 너의 기대, 저무는 날일 수록
다정하던 너의 목소리 들리는구나
저 먼길로 비로소 나 마중하리니
저녁에 이는 햇살 같던 사람아

어느덧 겨울이 오면

어느덧 겨울이 오면
빈 하늘에 채워지는 것이 단지 햇살뿐이라서
나는 자꾸 햇살 가득하던 날의 웃음을 떠올리지
하지만 구름이 덮여오는 날일수록 오히려

내가 햇살이기나 하다는 듯이 더욱 웃어 주던 얼굴 하나
아! 내가 햇살을 등지며 흐린 눈물 속으로
걸어 들어가던 날에도
어느덧 깊어지는 그림자를 내가 온 몸으로

막는 줄만 알았는지

나의 등 뒤에서 여전히 웃고 있던 얼굴 하나

떠오르지

어느덧 겨울이 오면

빈 하늘에 채워지는 것이 단지 햇살뿐이라서

우리 또한 여전히 빈 가슴이라서

햇살 가득하던 날의 웃음을 기억하지

하지만 구름이 덮여오는 날일수록 오히려

내가 햇살이기나 하다는 듯이

더욱 웃어 주던 얼굴 하나

떠오르지

밤의 길목에서

어스름한 각으로 비껴서던 햇살이
마을 뒷산의 끝자락을 수놓다가
마로니에 잎사귀 위에 반짝이는 기억 하나
남겨두고 사라지네
사라질 때의 웃음은 어쩐지
눈물만 같았네

마로니에 흔들리듯 아픔이 적셔올 때
바람의 색깔마저 짙어지고 있었네
고단한 탄식 모두 내려앉는 밤의 길목에서

비로소 나는 보네
신은 마음으로 웃지 않음을
신은 오히려 밤의 길목에서 보석처럼 반짝이는
백 억 만개의 울음을 주고
단 하나의 웃음으로 바꾸심을

앞으로 추워지겠지만
신은 백 억 만개의 세포로 한 올 한 올 엮은 이불,
너무나 가볍고 투명하여서 어떤 어둠도
눈치 못 챌 이불로 덮으시리니
나 그 오랜 밤을 견뎌온 이유라네
신은 다시 백 억 만개의 시선으로 수를 놓아
단 하나의 사랑을 내게 보내시리니, 그리고
다시 아침이 올 것이니
나 이제 흔들리지 않으려네
백 억 만개의 영광 대신

단 하나의 웃음 간직하려네

신이 내게 그랬듯이

길가에 핀 꽃잎처럼

밤이 다 지나고 새벽 미명이라면
꿈꾸던 꽃잎 하나 길가에
피어나겠네, 어느덧
잠에서 깨어난 하늘이
꽃잎 위를 시나브로 비추일 때도
아직 시린 이슬들은 여전히

먼 강물이 그리웠으리
제 몸 듬뿍 적셔가며 지새우던 저 길가에
마침내 꽃잎 하나 피어나겠네, 내 삶도

꽃잎 같다면 좋겠네

남겨두고 돌아섰으나 밤이면 가슴을 두드리던

빗방울 같던 기억 모두 어둠 속을 지새다가

어디선가 우연이라는 듯이 찾아든 한 자락

바람에 지친 어깨를 한껏 기대어 쉬고난 후

마침내 어둠이 그쳤는가 하며

간간이 눈을 뜰 때마다 여전히 아프고

여전히 눈물 같던 자리, 세월의 결을 따라

거칠고 곤핍하며 섧기만 하던 자리

하지만 그대여! 밤이 다 지나 새벽 미명이라면

꿈꾸던 꽃잎 하나 피어나겠네, 어느새

반짝이던 별들의 지난 빛깔만큼이나

짙은 햇살로 함께 물들어갈 저 길가에

마침내 꽃잎 하나 피어나겠네, 내 삶도

꽃잎 같다면 좋겠네

튤립꽃이 피는 자리

오랜 시절의 어둔 골짜기
흐리던 하늘 위로 저녁이 다가올 때
새 때처럼 고독도 밀려왔으리, 하지만
두려운 것은 밤이 아니라
깊고 횅한 한낮의 이별이었으리
울지 말라 하며   울던 이여
아파하지 말라 하며 아파하던
세월이여
귀먹고 눈 어두운 사연들의 철길처럼
길고 먼 겨울이 지날 때면 당신은
방한용 마스크로는 가릴 수 없던 눈물을
당신의 갈보리, 그 짙은 빛깔로
저 언덕에다 묻었으리
지친 몸을 기대고 지새우는 날엔
잉잉 바람이 울어 주었으리
약속이라 하듯 뿌리를 내렸으리, 그러다가

당신이 아껴 입던 꼬까옷만큼이나

눈이 부신 부활절에 하필이면

튤립꽃이 피었는가

눈물보다 반짝이는 날의 미소만큼이나

하필이면 저 고운 꼬까옷을 입고 튤립꽃이 피었는가

수선화 피는 길목

우리 함께 걸어 온 길이 내내
낯설고 적막하여
혼자라면 돌아섰을 만한 끝없는 시련의 점철이었어도
어느 날 들풀들 사이로 수선화 한송이
피어났지
그대는 나의 빛나는 수선화이며
나는 그대의 향기에 취한
저 들풀이요 하고 내가 말하자
나는 수선화가 아녜요 왜냐하면
당신이 들풀이면 나도 들풀이니까요 하고
수선화보다 하얗게 그대가 웃었지, 웃은 후에
세상에서 가장 행복한 꽃은
수선화가 아니라
수선화 곁에 피어나서
넋을 잃고 수선화를 함께 바라보다가도
흔들리듯 기대어 함께 일어서는

저 들꽃이라고 그대가 노래했지

낯설고 적막하여

혼자라면 돌아섰을 날의 길가에 저리도

하얗게 수선화 피어날 때

많던 신화마저 하나둘 잊혀 지듯

시련 모두 잊혀 지리니

그대 나의 영원한 수선화여

철쭉꽃 피는 마을

봄이 너무 지척이라서

잎이 피기 전에 꽃부터 피어 웃어주던

진달래가 봄보다 먼저 지고난 후

마을 뒷산에는 철쭉꽃이 피어났다

철쭉꽃은 화려한 자태로 가는 봄을 마중하려는가

전에 이름 없이 피어나 잠시 머무르다가

나를 닮았으나 더 빛나는 날의 꽃들이 필거라며

울지 말라 하던 진달래의 약속이 떠올라서

화려할수록 더욱 슬퍼지는 얼굴로

눈물을 저리도 머금었는가

치자꽃 없는 세상에 능소화 피었으리

봄이면 진달래 진 자리에 철쭉이 피어나듯이
여름이면 치자꽃 없는 세상에 능소화 피었으리
다늦은 꽃샘추위마저 견디느라 붉게 물들이지도
못하다가 처음의 연분홍 그대로 손 흔들며 멀어지던
진달래의 시련을 본 후에 철쭉은
생각했으리
나는 꽃이 되고 싶지 않아
피어날 꽃이야 얼마든 많을 테니
나는 그저 봉오리로만 남아 꽃들 곁에 머무르다
모든 꽃들 지는 날에 함께 생을 마감하고 싶어
하지만 철쭉은 동네마다 피어났고 다시 여름이
다가왔으며
치자꽃이 피었으리
친구여! 그리운 친구여!
치자꽃 없는 세상에 능소화 피었으리
지나간 이별 모두 끌어안듯 진홍색 능소화 피었으리

능소화는 담벼락 너머로 멀어져간 그 많은 이별의 자취를
바라보려 종일 담벼락을 기어오른 후에
이별의 여운이 묻어있을 사람들의 옷자락, 옷소매쯤에
진홍색 무늬 가득 수놓아 주고 싶었는지
붓칠을 하듯이 종일 어깨를 흔들며 안달을 내었는데

지나는 사람들은 여름 내내 그저 바람이
부는 줄만 알았으리

이국의 어느 바다에서

바람의 익숙하고 푸르른 자취를 따라 걷다가 나는
빛나고 먼 이국의 어느 바다에 다다랐네.
삶의 이면들은 햇살에 젖고
숨죽여 울지 않아도 될 이국의 어느 바다,
외지고 한적한 자리에는 서러운 햇살이 반짝였네
돌아보면 눈물이 웃음보다 반짝인다 여긴 날에
이별이 다가왔네
일렁이는 하오의 물결 같았었네
빛나고 먼 이국의 어느 바다에서 나는
날 저무는 줄도 모르는 채 함께 걷던 날의
웃음 먼저 하얗게 눈부셔서
길섶을 채워오던 들꽃들의 향기 먼저
일렁이듯 부서져서 울지도 못하였네
이별보다 더 오래고, 아픔보다 더 깊으며 어둠보다
친밀하던
하지만 지켜주지 못한 사랑 하나

겨우겨우 꺼내들고

하얗게 지새웠네

날 저무는 줄도 모르는 채

내가 닿고 싶은 바다에는

내가 닿고 싶은 바다에는
모든 반짝이는 것들의 향연, 또는

아득한 것들의 갈망을 드러내고도 남을
그토록 선명한 빛깔들을 바다는
물결위로 풀어 올렸으리
내 유년의 들녘을 물들이던 햇살 같이, 또한
푸르던 날의 언덕을 드리우던 그늘 같이
풀어 올렸으리 그리하여 모든 기억들을 바다는

물살의 이랑에다 씨앗이듯 품고 살았으리
그리하여 어느 그리움마다 일렁이는 날이 오면
흰수염고래의 행로처럼 길고 오랜 탄식들과
물살의 이랑마다 자라나던 줄기들을 엮어서
그토록 오묘한 바다의 빛깔들을 또한 한 올 한 올
빚어내었으리

그러다가 내가 닿고 싶은 바다에는
바다 옆으로 나란히 난 길 하나 있어서
내 유년의 하루만큼 언제나 빛나고
아늑하였으리
눈이 내린 듯이 하얗게 웃음으로
덮였으리, 그리하여 흰수염고래가 내는 물보라
같았으리
하지만 밤이 오면 바다를 등진 채 길은
저 홀로 걸었으리, 너무 먼 곳까지 나아가서

돌아오지도 못 했으리, 나는 또한
얼마나 많은 길을 바다 없이
걸었던가

내가 닿고 싶은 바다에서 나 이제
그곳을 떠나지 않아도 좋으리
나 비로소 바다를 닮아 가리니
눈부셔야 했을 간절한 상실마다 모두
찾아내어 하나씩 안아주리, 그리하여
물살의 이랑들이 오묘한 빛깔들로
채워져서 하늘까지 닿는다면
일렁이는 기억의 끝자락에서 어린 날의
나비처럼 나 잠 들어도 좋으리

아무도 없는 바다에서

아무도 없는 바다에 와서

아무도 없는 바다에게

물어보았다

다들 잘 지내냐고

전에 내게 바다 같은 친구가 있어서

한때 함께 가까이 지냈던 누군가가 혹

그립거나 궁금해지면

넌즈시 그에게 묻곤 하듯이

그러면 바다 같은 그 친구는 누군가의 안부를

알고 있었듯이

아무도 없는 바다에 와서

아무도 없는 바다에게

물어보았다

나는 이제 어떡하면 되냐고

전에 내게 바다 같은 사람이 있어서 물어보면

그냥 너는 내 앞에 있으면 돼

그 모습 그대로 있으면 돼 하고 말해주었고

나 편히 잠들 수 있었듯이

내가 잠이 들면 나대신 잠 못 이루고

밤늦도록 기도해 주었듯이

나는 왜 지금 아무도 없는 바다에 온 것일까

전에 내게 바다 같은 친구

바다 같은 사람, 그리고

바다를 생각나게 하던 누군가를 찾아서

세상 끝은 어디일까 하며 걷다가, 또 걷다가

바다에 닿았을까

나 지금 아무도 없는 바다에 와서

아무도 없는 바다에게

다들 잘 지내냐고 물어본다

아무도 없던 날일수록 어느새 다가와 주던

누군가가 바다만큼

땅만큼, 하늘만큼

그리워서

먼바다를 노래하다

친구여, 우리에게 멀리 떠나야할 가장 오랜
이유가 있었다면 어느 먼바다에 이르기
위함이었는지도 모를 일이었네
세상의 각박하거나 위태로운 벼랑 끝을 걷는 대신에
먼바다들은 모두 같은 언어로만 말하는지
알기 위함이었는지도 모를 일이었네

하지만 친구여, 멀리 떠나온 날의 먼바다에서 누군가는
바다 또한 저마다의 언어가 따로 있음을

알게 된다 해도 실망할 일은 아니라네, 일테면
가장 가까이서만 부딪쳐오는 숨결과 살결과,
그리고 넘어짐과 부서짐과 잦은 생채기들과,
더할 나위 없이 흐리던 날들의 숱한 이별들을
지켜본다거나 또는 멀리 떠나지도 못한 채
한세월을 지내온 바람의 우애와, 그리고
어느 여름이면 지독한 풍랑을 끝끝내 막아서다
혼자 스러져간 바람의 절망과 전설에 관해 어찌
평범한 언어로 다 말해줄 수 있었으랴
하지만 친구여, 우리는 알 수 있었네
먼바다에서는 각자의 바다로 가는 길이 모두
열려있어서 언어 또한 하나로 흘러들어
기적이라는 듯이 흘러들어 못 알아들을 가슴이란
없다는 것을
또한 누군가는 그 바다의 바람 같아서 차마
멀리 떠나지 못하였어도 기적이라는 듯이

어느새 먼바다를 닮아있어서

함께 그 먼바다를 노래할 수 있다는 것을

등대에게

등대여 너는 오늘도 한낮의 햇살에 뜨거워진 너의
내면마저 어찌하든 빛으로 뱉어내려는 듯이 더구나
오래가는 빛, 마침내 아침으로 이어지는 빛으로
뱉어내려는 듯이 방안의 춥고 불 꺼진 어둠마저
뜨거운 가슴을 비벼가며 달여 내다가
마침내 더 깊은 어둠을 찾아 바다를

그토록 향하였는가
나는 지금 내 지난날의 풍랑 속에서

너를 보는데 너는 어찌하여 바라보지 않아도

그윽하던 자리, 눈물 흘리지 않아도 반짝이던 내 유년의

마루처럼 소리 내지 않아도 들리는 저 깊고

아늑한 인생의 심연에서 슬픈 날일 수록 오히려

그토록 발갛게 웃었는가

너는 어찌하여 마지막 불빛이 꺼져갈 때가 오면

자신의 그림자마저 태웠는가

혹여 너 또한 어느 먼 시절 어느 먼 마을에서

누군가의 어미이거나

누군가의 아비이기라도 하였던 것인가

제3부

사람이 천사보다 조금 못할지라도

내게 부활의 노래를 불러주오

해묵은 엘피판을 꺼내듯이 가슴에서
이국의 설운 민요 하나 떠올리다가 무심코
먼 평원 어디쯤에 스러져 누운

병사의 슬픈 눈을 바라보네
상처가 아파올 수록 더욱 깊어졌을 그리움

설원보다 반짝이는 눈물을 보네

인생은 어쩌자고

매 순간 그리도 눈이 부셨을까

날 위해 울어주던 그대여

오늘은 내 흘린 눈물로

그대의 목을 축이고

마른 가슴을 조금씩 적시다가,

적시다가 아! 나의 사랑이여

죽음보다 멀리 닿을 노래, 부활의 노래를 내게

불러주오

이 밤이 지나가도 끝나지 않을 영원의 노래를

젖은 가슴으로 내게

불러주오

누군가 곁에 있다는 것은

꿈을 꾸는 시간 동안이라면 그 꿈은 꿈속에서는 적어도
현실일 것이다
이것은 또한 꿈이 항상 흑백일 수는 없을 단서이거나
현실이라 해서 반드시 흑백이 아니지 않을 근거일지도
모를 일이었다
그리하여 만약에 내가 꿈꾸는 고양이 곁에서
깊은 꿈을 꿀 수 있다면, 자주 천연색의 그 꿈속에서 삶이

고양이털처럼 그리도 따뜻하고 보드라운 것이라
여길 수 있을 것이다, 그렇게 여기다가

꿈에서 깨고 나면 내가 만난 그 고양이가 비록 서늘하고
슬픈 이별을 남긴 채 보이지 않더라도
방의 한 구석에 빈 집과 빈 망루와 빈 골판지를
버려 둔 채 홀로 저 먼 길을 갔다 해도
내 이별의 간이역에서 고양이는
나를 따뜻하게 바라보는 누군가 있을 것을 전해 주는
꿈의 첨병, 혹은 마치 우리가 꿈을 꾸듯
따뜻해져야하는 이유, 그리고
나의 세상이 충분히 찬란했음을 드러내는
증거를 남겨 주고 떠나가는 것이리니
그러므로 누군가의 곁에 있다는 것은
가슴을 채워오는 간절한 열정이거나
광활한 생기이거나, 지치지 않을 순례의 머나먼
온기, 혹은 물러설 자리 하나 없던 세월이 남긴
오래된 전언이거나 저마다의 가슴을 저미게 하는
유언일지도 모를 일이었다.

단성역 플랫홈에서
-기차는 오후 두시에 떠나네

인적마저 흩어져간 단성역 플렛홈에

기차는 오후 두 시에 떠나갔고

그 후로는 사뭇 비가 내렸으며

바람도 불었습니다.

덩그러니 남은 것은 나와 이별이었습니다.

나는 울음을 삼킨 채

언젠가 함께 들었던 노래 속의 까뜨리네 행 열차를 떠올리

다가

노래 보다 오래 기억될 이별의 여운 하나 멍하니
바라보았습니다
덜컹거리며   멀어져간 기차는 지금쯤
우리가 자주 앉아 쉬던 개울가를 지나고
있을 것입니다

차창 밖으로 언덕 한켠의 포플러 나무 이파리가
바람에 흔들린다면 내가 우는 줄 아세요
차창 밖으로 잠시 비 그치고 햇살이 비쳐온다면
내가 웃는 줄 아세요
당신은 떠나고
나는 여기에 남겨졌습니다

시간이 가고 밤이 깊어지면 나는
집 잃은 사람처럼 오래도록 어느 골목 어느
모퉁이 근처들을 배회할 것입니다

집에 도착한 후에도 나는
잠들지 못하고 창문을 열어둔 채 온 방안을
서성일 것입니다
그러다가 단성역 플렛홈에 다시 비 내리고
바람이 불쯤이면
혼자 남겨지던 자리에서 당신을
기다릴 것입니다
덜컹거리며 멀어진 기차는 여전히
우리가 자주 앉아 쉬던 개울가를 지나고
있을 것입니다

차창 밖으로 언덕 한켠의 포플러 나무 이파리가
바람에 흔들린다면 내가 우는 줄 아세요
차창 밖으로 잠시 비 그치고 햇살이 비쳐온다면
내가 웃는 줄 아세요
당신은 떠나고

나는 남겨졌습니다

당신이 돌아오지 않는다 해도

나는 여전히 이곳에 있을 것입니다

이곳에 나 없이 이별만 남겨둘 수는 없으니까요

그거 아세요? 당신이 새 세상을 꿈꾸며

당신의 까뜨리네를 향해 떠났어도

오! 나의 까뜨리네여, 나에게 새 세상은 오직

당신뿐이었다는 것을요

여름이 지나갈 때

맨드라미 피어나야할 붉은 마당가에
죽음보다 깊은 울음을 묻어두고
세월아, 무정한 세월아
눈 멀고 귀 먼 세월아 어서 지나라
숨죽이던 시절의 여름에는
강물도 맨드라미 꽃잎 빛깔로 짙게 흘렀으리
지나간 여름이 왜 그리 아팠는지 묻는 그대여

푸르지 않을 강물마다 가슴에 끌어 담아
대지의 강물은 여전히 푸르기를

가슴 속 강물은 터지고 갈라져도
인정의 강물은 하나로 흐르기를 바라고 바라던
어머니,
어머니의 어머니,
어머니의 어머니의 어머니, 그리고
아버지,
아버지의 아버지와
아버지의 아버지의 아버지를 기억하며
한 계절을 울어도 어뗘하리
그 때 눈물 가득하던 날들의 하루처럼
저 멀고 먼 여름이
지는 꽃잎보다 서러웠을
저 길고 긴 여름이
지나갈 때

고도를 불태우며

흐려지는 것은 맥없이 그저 올려보던 시절의
저 겨울하늘이었을까?
아니면 시린 기억을 품고 흘러드는
저 강물이었을까?
어쩌면 저 강물 같던 세월이었을까?
또한 오늘도 나는 떠나오거나

떠나보내던 날들의 그토록
흐리고 시린 눈물에 기대서라도

먼시절이 그리웠을까?

하지만 허기진 세상의 이면은

연극이 끝나기 전에는 나타나지 못할 것들의

슬픈 은유이거나

이별마저 이별하게 하는

짙은 그림자, 혹은

끝 모를 여운으로 점철하는 표징었지

나 이제 빈 가슴 태우지 않으리니

지나간 어느 끝자락에서

먼 꿈을 버리듯 고도를 불태우며

나 비로소 모든 갈망들을 놓아주리

다만 불타지 않고도 불이 되는

신의 약속을 붙잡으리

눈을 감아야만 보인다 하는 어딘가의

숨겨진 진심처럼

아무것도 바라지 않는

빈 가슴에게만 들려주는 신의 세미한

음성에 기대어 나 남은 밤들을

건너가리

이젠 내손에 붙들려 걸으세요

어두워지는 빈자리로 사랑 하나 덩그마니
남았는지 지난 밤 바람 끝에 다가가서
시루떡, 가래떡, 맨드라미 꽃잎 백인
술떡이거나 또는 백설기 찍어먹듯
사랑 하나 세월 어느 모서리에 떨어져 있었을 꿀처럼
달고 단 기억 끝에 찍어 먹고 죽으려다가
마침내 내려오는 눈발 마다 찍혀있는
발자취들을 보았을까
사랑은 언 하늘, 언 강물, 언 바람
혹은 어린 날의 손등처럼 쉬 갈라 터지는 자리에서
시작되는 정이월의 저 시린 눈발
그리도 더디게 흐르던 시절의 걸음들을
휘적이며 따라오던 하얀 바램이었나
한 조각의 사랑을 덮고 누운
슬픈 여인이여
이젠 눈물마저 기억의 빈자리에 남겨두고

희고 빛나는 눈길을 걸어서 내게로 오세요

일곱 살 내 여린 손이 붙들리듯

이젠 내 손에 붙들려서 그토록 그리운 꿈길 속

정겨운 논두렁과 솔밭길과 또한 자갈길 가득한

개울 지나 어머니!

춤추는 눈발이듯 아득히 걷고 또 걷더라도

사랑만 가득하던 저 시절에 닿으세요

더 이상 슬퍼하지도 울지도 마세요

오솔길을 걸으면서

오솔길을 걸으면서 오늘 나는
한때 무성하던 이야기들이
왜 저 먼 숲으로 하나둘 숨어들었는지
그 많은 꿈들이
왜 자꾸 내게서 등을 돌렸는지
길을 잃은 후에도 울지 못했는지
오솔길에는 여전히 비가내리고
자주 바람이 일었으며
겨울이면 눈발 가득 날렸으려니와
오솔길을 걸으면서 오늘 나는
어디선가 날아온 산꿩 하나
물끄러미 앉아 쉬던 그 길섶에다
팻말 하나 세워 두고 싶어졌다
멀어지는 줄도 모르게 멀어지던 것들,
사랑은 언제나 꿈보다 아팠을 텐데
나는 사랑이 우는 줄도 모르고

그 먼 시간을 무엇을 가지고 채웠던가

오솔길을 걸으면서 오늘 나는

자성의 팻말 하나 저 길섶에다 깊이 세워 두고

팻말 앞에 주저앉아 울고 싶었는데

어디선가 산 꿩이 먼저 울어댔다

꾹 꾹 *꾸꾸* *ㄲㄲㄲㄲ* *ㄲㄲㄲㄲㄲ*

아! 고운 내 사랑아

너도 늘 저렇게 울었구나

내가 등 돌리던 날에도, 까맣게 너를 잊은 날에도 너는

내 삶의 깊은 골짜기를 저렇게 울음으로 채웠겠구나

하여, 네가 떠난 줄 여긴 날에도 너는 긴 울음으로

떠난 자리를 채우고 있었구나

그 눈물이 샘이 되었구나

날 위해 울어주던 너의 눈물이 아니었다면

내 어찌 꿈 하나로 저 먼날을

견딜 수 있었으랴

등대 하나 있었다면

마을이 내려다보이는 뒷산 기슭 바위 곁에
바다가 아니어도 바다이듯 등대 하나 있었다면
아! 세상은 모두 풍랑이 이는 바다 같았으리
등대 곁에 지붕 높은 통나무 집 하나 있고
마당가에 장작 가득 쌓여 있어

비에 젖거나 바람에 마른다면

우리는 그 뒷산 기슭을 이국의
로렐라이 언덕이라 부르거나
등대 곁의 통나무집을
꿈꾸는 집이라 불렀으리

사람들은 저마다 침몰하는 이유들을
떠올리며 울었으리
로렐라이 언덕에서 들려오던 아름다운 노래마저
침몰의 이유로 삼았으리
하지만 친구여
마을이 내려다보이는 뒷산 기슭 바위 곁에
바다가 아니어도 바다이듯 등대 하나 있었다면
아! 세상은 모두 물살 가득한 바다와 같았으리
등대 곁에 지붕 높은 통나무 집 하나 있고 마당가에
장작 가득 쌓여 있어 비에 젖거나 바람에 마른다면
신화보다 아름답고 전설보다 현명하던 옆집 형이

그토록 슬픈 노래 하나에 빠져서
길을 버리지는 않았으리
그림보다 선명하고 별빛보다 반짝이던 뒷집 누이가
그토록 아픈 사랑 하나에 취해서
길을 놓치지는 않았으리

세상의 바다는 너무나 교묘하여 마음에도 없는
노래를 부르게 하고
진실하지 못한 사랑을 좇아가게 하지
마음의 풍랑을 일으키지, 하지만
마을이 내려다보이는 뒷산 기슭 바위 곁에
바다가 아니어도 바다이듯 등대 하나 있었다면
등대 곁에 지붕 높은 통나무 집 하나 있고 마당가에
장작 가득 쌓여 있어 비에 젖거나 바람에 마른다면
우리는 그 뒷산 기슭을 이국의
로렐라이 언덕이라 부르거나

등대 곁의 통나무집을
꿈꾸는 집이라 불렀으리

공원에서

작은 가방 하나 울러메고 어딘가로 자꾸
걸어가려는 아가야
아직은 멀리 가지 못하겠지만
둘러멘 가방처럼 예쁜 시절이 지나
저 플라타나스 이파리처럼 푸르른 날이 오면
더 먼 곳까지 걸을 수 있도록
훨씬 커진 가방에다
노란색 알루미늄 도시락 한 개와 하얀색 삶은 달걀 하나,
그리고 초록빛 별이 일곱 개나 그려진 사이다 한 병
넣어주마

아가야
나는 지금 구부정해진 어깨에 세월이라는
가방을 둘러메고 너를 보고 있단다
너를 보다가
문득 세월이라는 가방 속에 여전히 남아 있을

노란색 알루미늄 도시락을 꺼내어

멍든 가슴만큼이나 검푸른 빛깔의 김밥 한줄과

아껴두던 고백만큼이나 하얗게 바래인 달걀 하나

꿈속이듯 베어물었단다

어쩌다가 흘러내려 옷깃을 적셔버린 사이다의 얼룩을

닦으려고   햇살 한자락 베어내다가

나는 들었단다 햇살의 위로를
지금껏 흘려온 눈물보다 끈적이는 것은
시련에도 울지 말라며 불러주던   오랜날의
자장가이듯이
힘겨웠던 날일수록 차가웠던 것은
내 간절하던 가슴이 아니라 그저 작은 한파에도 쉽게
등 돌리던 세월이었다고 말해주는
햇살의 위로를

작은 가방 하나 둘러메고 어딘가로 자꾸
걸어가려는 아가야
나는 지금 구부정해진 어깨에 세월이라는 가방을 둘러메고
너를 보고 있단다
오늘따라 소풍가기에 좋은 날씨구나

바람 끝을 걸어갈 때

바람 끝을 걸어갈 때 우리는 자주 바람 끝에서
한 시절이나 한 생애의 끝을 떠올리곤 하였으리
종착역에 이르고도 뒤돌아설 수 없던 이정표인양
슬픈 표정마저 떠올렸으리
하지만 바람 끝을 걷는다는 것이 어쩌면
바다 끝이 그렇듯이
아직 남아있는 자취와
여전히 일렁이는 물살 같은 두근거림과
끝없이 부서지는 햇살 같은 웃음소리와
절망보다 질기고 아픔보다 깊은 무언가를 만난 후
다시 돌아와서 닫힌 창을 열기 위한
몸부림 같았으리

우리의 끝이 오히려 시작이라 말하는 음성 하나
들려오는
바람 끝을 걸어갈 때 우리는 종종

바람이 되고 싶었으리

바람이 되어서

눈물 씻겨주던 바람이 되어서

누군가의 가슴에다가 물살 같은 두근거림과 햇살 같은

웃음소리 들려주는 바람이 되어서

누군가 하염없이 머물다 간 자리 끝을 밤새

잉잉대다가

마침내 길 끝에서 길이 시작되는

삶이 실상들을 마침내 보고 싶었으리

버려진 기타 하나

오래된 도시의 익숙한 모퉁이를 돌아서다
어느 집 낡은 담장 밖에 숨기듯 기대 놓은
기타 하나를 보았는데
버려진 듯 버려지지 않은 태연한 자태 때문인지
몇 날이 지나도록
차마 가져가는 이가 없었다
누가 놓아두었을까
담장 안쪽에 살았던 누군가의 아비, 그리고 어미가
이제는 담장 곁 저 좁은 길로 걸어오지 못할
그를 바라보듯 바라보려고
담장 밖에 대신 세워두고 창문마저 저렇게
열어둔 것일까

비어버린 방, 이제는 인적 없어진 창문 아래에서
슬픈 바람이 일듯 때때로 너의 기타소리
들려오기를

여름이 가는 길목 끝에

이별을 노래하는 귀뚜라미 소리밤새 울려오듯이

꿈결에도 웃게 하던 너의 자취

전해지길 바랬으리

그러다가 다시 날이 가고, 추운 날은 또한 오고,

눈발가득 흩어져서, 어느날

기타 소리 멀어진다면, 누군가의 아비, 혹은 어미는

지상에 남아있을 마지막 위로 하나

가슴에 묻어놓고 누군가의 기타소리가 사라져간

저 너머의 어느 멀고 그리운 곳,

한때 네가 밟았을만한 낯선 어느 땅을 헤매고 헤매다가

네가 돌아오듯 돌아오고 싶었으리

아무일 없었다는 듯이 창틈 사이로 익숙한 기타소리

다시 들려오길 바랬으리

겨울의 추억

누군가 겨울의 추억을 지나쳐간 삶의
이제는 그저 바래어진 조각이라 말했다면
시련 또한 그에게서 바랬다는 의미였을까?
하지만 혹독하던 추위 모두 사라지면
따뜻함도 늘상 당연하게 여겨지고
정금 같을 삶의 보루도 잊혀져서
추억이란 그저 망각의 부질없는 순연이
되어버릴지도 몰라
그래서 울 엄니 아부지는 나를 금이야 옥이야
내 새끼야 하며
새록새록 겨울의 추억을 남겨두려고
추운 날들을 견뎠을지도 몰라
겨울이면
함께 놀던 길목에서 아이들과
부지런히 연을 날리거나
얼어붙은 개울가를 달려가다 어느

논둑 끝에 다다르곤 하였었지

아이들은 마른 풀잎을 모아다가 후후 숨을 불어대며

장차 꺼져갈지도 모를 삶의 불씨들을 살려내는

연습에 몰두했지 하루 종일

가슴에다 새겨냈지

아! 내 삶에 추운 시절이 없었다면

겨울의 추억도 떠나갔으리

나는 삶의 불씨들을 살려낼

심장의 온기마저 놓치고 말았으리

겨울이면

자꾸 설레고 자꾸 웃고 싶어지던 이유마저도

모르는 채 살았으리

너를 위해 울어야겠다

저녁이 오면 별빛들은 어둔 하늘가에 꽃잎처럼
피어나 붉은 빛깔을 스스로 삭이면서 나의 빈 방에
스며왔다
나는 불도 켜지 않은 채 어떤 노래들을 반복하여
들었었다.
오늘 밤 별빛 아래에서 나는 주님께 내가 무슨 노래를

부를까요? 하고 물었다.
주님이 오늘은 너의 노래를 부르라고 하셨다.

어두운 날이 지속되었으나 여전히 영롱한 별빛 새어드는

너의 빈방에서 네가 듣고 또 들으며

눈물 짓곤 하던 때의 노래를 부르라고 하셨다.

"네가 근간에 나를 향해 나를 높이는 신앙의 노래를

부르고 또 부르면서 나를 향해 울었듯이 사실 나는

그때 네가 듣고 또 들었던 너의 노래를 너와 함께

듣고 또 들으며 너를 향해 날마다

울었단다.

오늘 한번쯤은 그 시절의 너의 노래를 불러다오.

오늘 밤 너를 위해 울어야겠다"

제4부

당신이 꽃입니다

당신이 꽃입니다

낭만파 시인으로 불리우던 영국의 셸리는
"만약에 겨울이 깊을수록 봄이 가깝다는 것 아닙니까?"하고
노래했습니다. 하지만 나는 만약에 봄이 깊을수록 자꾸 겨
울을 생각할 것만 같습니다.
왜냐하면 봄을 기다리는 것이 꽃이 있어서라면
꽃은 겨울에도 있으니까요.
왜냐하면 당신이 그저 꽃이니까요
겨울에도 처마 끝으로 햇살이 드리우고
때때로 따뜻한 바람이 불어올 때
당신이 그저 햇살이요, 따뜻한
바람이니까요
그리고 그 무엇보다도 당신이 있는 겨울이
당신이 없을지도 모를 봄보다 훨씬 그리고 더욱 그리고
너무나 많이 다행이니까요
당신이 없는 낭만 조차 제게는 필요가 없으니까요
그러므로 사람이 꽃보나 이름답다는 말을

나는 굳이 알지 못합니다.

당신이 그저 꽃이니까요

꽃이 되고 싶었으리

마을 뒷산의 기슭으로 이어지는 어귀에서
마치 꽃인 듯 그러나 꽃이 아닌 잎사귀들의 너울거리는
몸짓을 바라본다
"너는 꽃이 될 수없어. 하지만 꽃들 곁에서 지내게는 될 거
야. 너와 닮은 이파리를 가진 꽃들 말이야. 그렇다고 슬퍼
하지는 마. 잎사귀조차 닮지 못하는 이들도 세상에는 너무
많으니까!"
청천벽력 같은 현자의 예언 앞에서 그는 울었으리
밤이면 손가락 끝을 물어뜯고
낮이면 언 심장을 햇살에 녹였으리
별을 헤듯 많은 날을 보내고 난 후
이파리마다 어느새 붉은 무늬가 새겨져
꽃처럼 빛나게 되었으리
꿈결 같은 여름이 가고 찬 가을마저 지나갈 때
그가 남은 피를 마지막으로 흘러 보내고 나서
제 스스로 시들어 간다면

이 또한 세상의 모든 꽃들이 지고 난 이후이리

하늘에다 날마다 자신의 심장을 갈아 넣어서 무늬를 만들다
가

어두워져 가는 세상 끝을 밝히던 노을처럼

너 또한 꽃들이 스러지는 세상 끝을 밝히다가

밤이 오듯 다가오는 겨울 속으로 그렇게 멀어져 갔으리

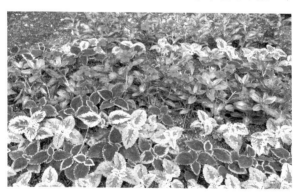

하지만 누군가는 기억하리

간절해서 더욱 꽃다웠을 그의 생애와

잎과 함께 스러져서

마침내 그리움마저 이겨내려던 그의 긴 여운들을

또 하나, 이파리 위로 꿈인 듯 돋아나던 생애 마지막의

봉그러운 망울들을

꽃이 지는 이유

떠나고 난 후 돌아오는 길을 놓쳐본 이들은
계절의 끝을 물들이는 저 푸르른 한 그루의 나무와
그 아래에서 자신의 걸음일랑 멈춰 둔 채 나무의
기다림에 동참하는 꽃잎들의 하늘거리는 몸짓을 보며
눈물이 왈칵 쏟아졌을 것이다

멀지 않은 날에 나무의 푸르른 가슴에 멍이 깊어
낙엽마다 하나 둘 떨어지면
더 이상 흘릴 눈물이 없을 낙엽이 땅에 뒹굴더라도

꽃잎들은 저 푸르던 나무의 이파리 모두
꽃잎들이 주고받던 이야기를 들을 때 마다
아파하다가
밤새 손 모으고 기도해 준 이가 누구인지
흩어지기 전에 이미
알고 있었을 것이다
그러므로 꽃이 지는 이유는
기다림마저 져버린 날에도 남겨진 씨앗들이
그리움만큼이나 혹독하였을 추위를 견디고 난 후
다시 움을 틔울 수 있다면
날 위해 울던 낙엽보다 먼저 지고난 후
마침내 낙엽에 덮여 살아남을 수 있다면, 먼 훗날
떠나고 난 후 돌아오는 길을 놓쳐본 이들에게
길은 멀리 있는 것이 아니라고 말하는 대신
저 푸르거나 붉으려운 빛깔로 가슴을 그저
물들여 주고 싶었을 것이다.

먼길 다녀오는 저녁이면

먼길 다녀오는 저녁이면 골목에서 오래 기다려 준 바람결이
반기며 다가들다가 덜그덕거리며 가슴이 내려앉는 저 깊고
먼 연유를 알았는지 자꾸 별을 보자 합니다
별은 그저 반짝이는 것이 아니라 여기는 괜찮은데 거기는

어때 하며 누군가의 질문을 대신하고 있는 모르스 부호 같
은 것이라 합니다

먼길 다녀오는 저녁이면 하지만 누군가는 그 먼길에다 웃음
모두 내어준 저녁이면쏟은 밀가루처럼 흩어지는 바람결이
하얗게 웃어주다가 흐느적거리며 가슴이 풀어지는 저 멀고
흐린 연유를 알았는지 함께 비를 기다리자 합니다
저 먼날의 푸르른 수풀 같은 향기에 담겨 빗소리 짙게 들려
오면 빗소리는 그저 들리는 것이 아니라 네가 있는 동안 고
마웠다 말하며 누군가의 가슴을 대신하여 토닥여주는 손길
같은 것이라 합니다.

먼길 다녀오는 저녁이면 하지만 누군가는 저 먼길에다 웃음
모두 내어준 저녁이면 별은 모르스 부호로 반짝이고 가슴은
빗소리에 토닥여지고 하늘은 또 그렇게 누군가의 가슴이 됩
니다

제가 보고 싶으셨나요?

오늘, 어버이날이라서 지난 밤
꿈에 절 찾아 오셨나요?
마치 익숙한 시절의 길모퉁이에서

장에 가신 두 분을 기다리듯 그렇게
카네이션을 든 채 온 하루를 기다리다가
날 저물어 어두워지고 나면 혼자 그길 위에서
울고 서 있을까봐 지난 밤 꿈에

절 찾아 오셨나요?

제가 보고 싶으셨나요?

떠나시던 날에 사진을 남기듯이

제 얼굴을 눈에 담으시더니 지난 밤

사진을 찍듯이 곱게 단장하시고

절 찾아오셨나요? 마치

처음으로 기억들이 어긋나려하던 날에

전화로도 감춰지지 않던 슬픈 표정 때문에

전화기 앞에서 제가 종일 울었듯이

오늘, 받는 이 없을 수화기를 들고 혼자

울고 있을까봐 지난 밤 꿈에

절 찾아 오셨나요?

아가야 너 무엇을 보고 있니
—외할아버지가 손녀에게

아가야!

별빛 같은 눈망울로

너 지금 무엇을 보고 있니

훗날, 혹여 힘겨울 시절일수록

오히려 견디게 할 고운 미소, 너를 향한

미소를 보고 있니

사랑을 먹고 사는 삶의 생기를

보고 있니

아니면 그 옛날 저 먼 나라의 캔터키 옛집을

비추이던 시절의 햇살을 닮은

삶의 따뜻함과 호흡의 정갈한

근원을 보고 있니

아가야!

잦은 어둠 속에서 너처럼 소중한 누군가를

겨우 겨우 지켜내던 나를 보며

네가 어미 대신 이렇게 웃어주는 거니

잘해준 것 하나 없어서 울고 있는

네 어미의 아비인 내게 울지 말라려는 듯이

눈을 맞추며 입술을 달싹이는 아가야!

부디 시련 속에서도 잘 헤쳐 나온

네 어미를 닮아가렴

밤이 깊어갈 때

밤이 깊어갈 때 사내는 좁은 베란다,
외로운 섬 같은 난간에 기대어 도시의 외곽을 지나는
열차소리를 듣지
덜컹거리는 열차소리는 여전히
가장의 심장만큼 거칠었으나
열차의 기억은 언제나 따뜻하여서 사내는
지긋이 눈감은 후 삶은 달걀 하나 조용히 베어물지
차창 밖으로 내리는 어둠을 가슴으로 끌어안지
덜컹거리는 기차의 숨소리에 기대어 잠이 들면
남은 시간을 달려간 열차가 마침내
낯익은 그날의 플렛홈에 멈춰서고 그렇게
열차의 출입문이 열리듯이 삶의 아침도 혹여
열린다면
베란다에 펼쳐진 침낭 곁에는 여전히 바람이 차고
가슴은 자꾸 시려오고
혀끝에 남겨진 삶은 달걀의 여운이듯

두터운 그리움들 밀려오고
마침내 기차가 남은 시간을 채우며

함께 살던 시절의 사립문 곁을 지나칠 때
기다렸다는 듯 아침이 열린다면, 그렇게
좋은 날이 열린다면,
살이 에이도록 추운 이 밤인들
견디지 못할 이유란 또 무엇일까

서설이 내려올 때

지나간 일들을 덮으며 하얗게
서설이 내려올 때 먼 시간들을 지나쳐온
기차는 종착역에 멈춰서고
하늘은 깊은 그림자를 지상의
낮은 자리에 드리운다
서늘한 대지에 차마 입 맞추지 못하여

쉬 저물지 못하는 허공을   하얗게 메우다가
어떤 조건도 없이 마침내

순백의 그리움들로 하늘이 길을 만들면

간절함으로 길을 내면

가슴 가득히 꿈속이듯 그 먼 나라에 닿으리니

그리움과 그리움 아닌 것

간절함과 간절함이 아닌 것이 구별되지 않을

그 길 위에서 나 다시 노래하리

가파르던 생애의 그늘진 눈물마저

반짝이는 웃음 같았으며

힘겨운 시절의 탄식마저

시린 햇살 같아서 시련과 행복마저

구별되지 않던 그날처럼 비로소

노래하리, 꿈을 꾸듯

그 먼 나라를 노래하리

끝나지 않을 사랑
−영화보다 지순하게

햇살 가득한 이국의 초원이거나, 그도 아니면
흰 눈에 덮인 어느 산맥 아래의 낯선 마을을 배경으로
눈부시게 펼쳐지던 영화 속 사랑은
일테면 여린 여정의 젤소미나와 가슴 시려오던 저
라스트라다의 오래 머문 여운처럼 늘
지순하였거니와
그리하여 우리는 저마다 영화 같은 사랑을
꿈꾸었지
하지만 영화 속에만 있는 사랑이라고도
여기며 무심히 보내곤 하였지
그러다가 어느 지독한 시간, 일테면
예감 못한 작별, 먼 가야의 깨어진 조각들 앞에서라야
우리는 겨우 알게 되지
화면 밖의 사랑은 늘 평범하다 여기고
그 긴날의 사랑을 흔한 것으로만 알았다가, 일테면
어느 늦은 봄날쯤에 이르러서 지순한 사랑의 근원지를

다시 짚어가며 아뿔싸! 우리는 비로소 돌아보네

너의 웃음, 너의 말투, 너의 시선이 만들어낸

음률은 어떤 배경 음악보다 다정하고

가까이 다가서던 너의 표정은 어떤 근접화면보다 다감

하였으며

그 시절에 우리는 진심이라는

원소기호로 숨을 쉬고

연민이라는 염기서열

로 양식을 삼아

저 지난한 세월을

지나왔음을

화면 속 햇살보다

화면 밖의 햇살이

실제로 따뜻한 이

유를 그제서야

알게 되네

아버지의 구리반지
—영화보다 지고하게

영화 속의 전장에서 젊은 군인의 지갑에는
아직 어린 아들과 아직 젊은 아내가
아직 푸른 지붕 끝 하늘을 등에 이고
웃고 있어
숨을 곳을 노출당한 전장에서
어디선가 날아온 실탄이 목 뒷덜미를 뚫고
입안까지 관통할 때
어루루 까꿍 웃어주던 아직 어린 아들과
덩달아 웃고 있던 아직 젊은 아내의 하얀
잇속이 그리워서 고통보다 그리워서
하얗게 울고 있어

삶의 전장에서내 아버지는
아이 아직 어리고 아내 아직 젊고 하늘 아직
푸르고 그리움마저 하얗게 빛나던 날들 모두

가슴을 적시더니

피할 곳 없는 허공, 안전망마저 무너지며

뒤따라 날아온 둔탁한 자재에 머리를 맞고 나서도

어루루루 까꿍 하면 웃어주던, 마음에서는 아직

어린 아들을 빼닮은 손자들과

힘겨운 날에도 여전히 웃어주던,아내처럼

하얗게 빛나는 며늘 아가의 미소가 고마워서
고통보다 고마워서 하얗게 웃고 있어
하늘은 여전히 푸르른데
죽음 앞에 서 있는 자가
아직 어린 아이와 아직 젊은 아내를 둔 아직 어린 아들이
아니라서 다행이라 여기며
하얗게 울고 있어

나는 어쩌면 아버지의 남겨진 시간을 살고 있기에
하늘은 여전히 푸르고 마주보는 웃음 눈부셨을
아버지의 남은 시간을 지내고 있기에
아버지의 손가락에 끼어있던 값싼 구리반지는
집에 두고 온 가족만이 보석이라 여긴 이의
진심을 담았기에 해가 저문 후에도 스스로 반짝이고 있어
내가 먼 방황에서 돌아오던 날에 흘리던 아버지의 눈물처럼
반짝이고 있어

바람에 흩날리는 것들

바람에 흩날리는 것이
머리카락 만이었을까, 아니면
오래 지낸 시절의 문풍지처럼
그저 닳아버린 옷깃이었을까, 하지만
흩날리듯 세월이 가고 나면
남는 것은 추억 한 자락이거나
그날의 사진 한 장, 또한
나를 향해 지어주던
미소 하나이거나 어쩌면
가난했어도 행복했다기 보다
가난했기에 비로소 행복했을지 모를
신이 지닌 한조각의 진심일지 몰라, 그리하여
오늘 바람에 흩날린 것은
햇살에 비로소 드러나던 눈물처럼
반짝이지도 못하고 흘러내리던
우리들의 간절한 기도일지 몰라, 하여

그 흔한 울음 속에서도 때로는

신이여 나 아무 자격 없으나

꿈이라면 깨지 말게 하소서 하던

과분한 응답이었을지 몰라

늦은 즈음에 책을 읽는다는 것은

늦은 즈음에 책을 읽는다는 것은
나에게서 멀어진 사람이 불현듯 내게 부쳤으나
정작 받지 못했던 뒤늦은 편지를 읽는 심정이
아닌가 해
일테면, 목련꽃 그늘 아래가 아니라 해도
해지는 시절의 공원 구석에서 베르테르의 슬픔을
다시 읽고 있는 늙은 사내의 경우
어떤 연유로 한때 꽃피우지 못한 연인의 편지를
읽고 있는 것이 아니라면 저 깊은 시선을
무슨 수로 설명할 수 있겠어 그렇지 않아?
또한 하오의 낡은 저택에서
헤르만헷세를 다시 읽어 내려가는 늙은 여인의 시선 끝에
오래된 수레바퀴가 아직 남아있다면
가장 필요로 하는 시기에 어떤 연유로 자신을 떠난 후
돌아오지 않은 아버지나 어머니, 혹은
터울 많은 오빠로부터 온 뒤늦은 편지를

읽고 있는 것이 아니라면

저 울음 가득한 표정을 무엇으로 대신할 수 있겠어

그렇지 않아?

더구나 이것이 은유도 아닌 것이

그가 읽고 있는 글이 책이 아니라

책갈피 속에 곱게 접어둔 지난날의 사연들인 바에야

책만큼 오래되고 아프고 또한 간절한

사연들인 바에야

그렇지 않아?

언젠가 익숙한 거리에서

어느 익숙한 사내가 어미 잃은 새끼고양이와 종일

놀아주더니

밤이 되고 나서도 돌아가지 않는 것을 보고나서

나는 그 사내가 사랑하는 사람을 어떤 연유로 홀연히

떠나왔거나 혹은 떠나보낸 적이 있는 사람이라

생각했어

늦은 즈음에 책을 읽는다는 것은 그러므로

누군가가 누군가에게 보냈으나

수취인 불명이거나 수취인 거부가 되어버린 사연들을

대신 읽어 주고

대신 울어주고

대신 웃어주다가 마침내는

자신이 수취인 불명자이며 심지어

수취인 거부 당사자였음을 알고 나서

다늦은 답장을 한자씩 써내려가는 것이
아닌가해

12월의 의미

12월의 의미란 무엇일까? 마지막 남은 한 장의 달력 앞에서 인생이란 마침내 누구에게나 결승선이 있다는 뜻이리라. 빨리 살아온 사람도 느리게 겨우겨우 살아낸 사람도 모두가 12월 앞에서는 옷깃을 여며야 한다는 뜻이리라.

그러므로 12월의 의미는 오히려 인생이 달리기와 다르다는 것을 알게 해 주는 데 있으리라. 어떻게 다른 것일까?

일테면, 신약성서 복음서에서 만나는 베데스다 연못가의 38

년 된 병자 이야기가 보여주듯이 원래는 연못물이 끓어오를 때 제일 먼저 뛰어 들어가는 자만 치유된다는 전설이 난무하던 그곳에 38년 동안 단 한 번도 1등을 할 수 없었던 어느 고독하고 단지 남루한 한 병자에겐 더 이상 그까짓 연못을 향해 달려들지 않아도 되는 것이 비로소 구원이 아니었던가! 인생에게 있어서 연못이란 언제나 막연한 희망, 또한 속이는 전설이었기에 38년 동안 한번도 1등을 하지 못한 그가 오히려 환호와 박수조차 필요치 않고 그 모두가 부질없을 시간 위에서 비로소 신의 약속 안에 서지 않았던가

그러므로 세상의 환호와 거드름, 세력과 눈부신 업적이란 그 모두가 이미 무너져버린 바벨의 아류, 또한 약속도 없이 제 스스로 끓어올랐다가 제멋대로 소멸하는 허탄한 열정임이 드러나는 것이야말로 12월의 의미이리라.

그리하여 12월의 의미란 결국 인생은 제 스스로 달려온 것이 아니라 물 없고 곡식이 나지 않는 황폐한 땅과도 같은 세상 속을 단지 신이 내어준 살을 뜯어먹고 피를 마시며 겨

우 겨우 눈물 가득하게 건너올 적에 아! 삶의 한 가운데마다 쏟아지던 깊고 짙은 탄식으로 인해 오히려 더욱 치열해지던 자리, 그리하여 신의 영광을 끝내 가로채지 않으려는 간절한 몸부림 그 모두가 마침내는 삶의 이유가 되었었지.

그리하여 12월의 의미란 빨리 달리지도 못했으나 끝내 포기하지도 못하던 단 하나의 이유를 묻는 신의 질문 앞에 정직하게 서는 것, 그러다가 어느새 신의 등에 업혀서 저 먼 심판의 골짜기를 과분히 건너는 것이리라.